Ce livre appartient à

Abracadabra !

Les exploits de Maxime et Clara

est une collection destinée aux enfants qui apprennent à lire et qui ont envie de lire des histoires tout seuls. La collection propose trois niveaux progressifs qui suivent les grandes étapes de l'apprentissage de la lecture.

Dans chaque volume, on trouve :

❀ l'histoire d'un petit exploit de Maxime et Clara, deux enfants de six ans, malicieux et débrouillards ;

❀ le dossier (p. 28), qui se compose d'activités pour faciliter les premiers pas de lecteur de l'enfant ;

❀ le dico illustré (p. 32), qui permet à tout moment de la lecture d'identifier un mot grâce à un dessin.

Crédits photos : p. 31 : [hg] © Juniors Bildarchiv/AGE ; [hd] © Aleruaro/AGE ; [bg] © Divergence/Agathe Poupeney ; [bd] © Photo12/Alamy.

Illustrations des pages 28 à 32 : François Garnier, Lise Herzog, Marie-Élise Masson, Thinkstock/iStock/Daniel Villeneuve.

© Éditions Belin 2014   ISBN 978-2-7011-8333-6

Les exploits de Maxime et Clara

COLLECTION BOSCHER

Abracadabra !

Marthe Bringart
Texte et dossier

❀

Marie-Élise Masson
Illustrations

Belin:

8, rue Férou 75278 Paris cedex 06
www.editions-belin.com

Avant les vacances de Noël,
toute l'école va au cirque !
Devant le chapiteau, les enfants
sont très contents.

Après les acrobates, un magicien
arrive sur la piste. Il dit :
– Abracadabra !
Oh, une colombe sort de son chapeau !

À la sortie du cirque, Clara dit à Maxime :

– Viens à la maison samedi !

On fera de la magie.

– D'accord ! répond Maxime.

Samedi, Maxime arrive chez Clara.

– Coucou Clara !

– Regarde, j'ai un livre de magie !

dit son amie. Viens, on va choisir un tour.

– Papa, papa ! On veut faire le tour
du verre d'eau magique ! dit Clara.

– J'ai un verre, dit Maxime.

– Moi, j'ai de l'eau et des cartes, dit Clara.

– Et voici une bassine, dit papa.

Les enfants emportent tout dans la chambre de Clara.

Maxime remplit le verre et pose
une carte dessus.

– Hop, je retourne le verre, dit Clara.
Mais splatch ! La carte tombe
et l'eau coule partout.

Maxime et Clara recommencent.

– Cette fois, je colle bien la carte
sur le verre, dit Maxime.

Il retourne le verre…

– Hourra, on a réussi ! s'écrient les enfants.

– Nous allons faire un spectacle, dit Clara.
J'ai un chapeau et une cape de magicien.
– Moi, je vais faire une affiche, dit Maxime.

Le soir, le papa et la maman de Maxime
sont là pour voir le spectacle.
– Voici le tour du verre d'eau magique !
dit Clara.

Maxime et Clara font le tour et s'écrient :

– Abracadabra, abracadabra !

Le verre rempli tu retourneras,

mais l'eau ne coulera pas !

– Bravo ! disent les parents.

Comment avez-vous fait ?

– On ne dit rien. C'est magique !

répondent Maxime et Clara.

Mon petit dossier

Lecture

1 Je montre le mot quand j'entends le son **a** comme dans .

affiche

chapeau

maison

bassine

2 Je montre le mot identique au modèle.

| livre | titre – livre – libre – livre – tigre – livre – livre |

| spectacle | spectateur – spectacle – spectaculaire – spectacle |

| carte | tarte – carte – tard – carte – car – art – carte |

3 Je remets les mots dans l'ordre et je recopie les phrases dans mon cahier.

a. chez   jouer   Clara.   va   Maxime

b. colombe   sort   La   du   magicien.   du   chapeau

c. enfants   Les   magie.   font   tour   de   un

Vocabulaire

1 **Dans chaque liste de mots, je trouve l'intrus.**

a. le jongleur | le maître | l'acrobate | le magicien

b. le verre | le bol | le canapé | l'assiette

c. la colombe | le corbeau | le moineau | le tigre

d. le vélo | le chapeau | le manteau | l'écharpe

2 **Je dis le contraire de chaque mot.**

a. vider

b. rater

c. facile

d. sortie

3 Rébus

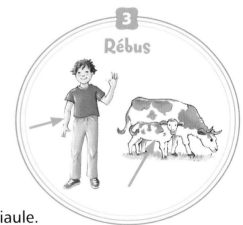

4 **Je trouve la charade.**

Mon **premier** est un animal qui miaule.

Mon **deuxième** est un oiseau noir et blanc.

Mon **troisième** est le contraire de tard.

Sous mon **tout** ont lieu les spectacles de cirque.

Mon petit dossier

Compréhension

1 Je remets les images de l'histoire dans l'ordre.

a.

b.

c.

2 Je dis si les phrases sont vraies ou fausses.

a. Clara et Maxime ont vu des acrobates.
Vrai   Faux

b. Le papa de Clara aide les enfants
à faire un tour de magie.
Vrai   Faux

c. Maxime et Clara font un spectacle
pour leurs parents.
Vrai   Faux

3 Je réponds aux questions.

a. Quel tour de magie font Maxime et Clara ?

b. Pourquoi Maxime et Clara ont raté le tour de magie
la première fois ?

c. Et toi, connais-tu un tour de magie ?

Les métiers du cirque

Frisson

Le **dompteur** dresse des fauves pour leur apprendre des numéros incroyables.

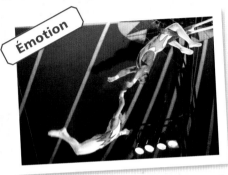

Émotion

L'**acrobate** s'élance dans les airs pour réaliser d'impressionnants sauts périlleux, avec pour seule protection un filet !

Admiration

Le **jongleur** fait voltiger en l'air toutes sortes d'objets qu'il rattrape avec adresse.

Rire

Avec ses farces, le **clown** amuse le public. Pendant ce divertissement, on installe le matériel du numéro suivant.

31

Le dico illustré

l'acrobate

l'affiche

la bassine

la carte

la chambre

le chapiteau

le cirque

l'eau

le livre

le magicien   la colombe

le chapeau

la cape

Noël

la piste

le verre

32

Dans la même collection

Niveau ❶

Niveau ❷

Niveau ❸

Mon petit dossier

Réponses

Lecture. 1. affiche ; chapeau ; bassine. 2. ⬚livre⬚ titre livre **libre** livre **tigre** livre livre ; ⬚spectacle⬚ spectateur spectacle **spectaculaire** spectacle ; ⬚carte⬚ tarte carte tard carte car art carte 3. a. Maxime va jouer chez Clara. b. La colombe sort du chapeau du magicien. c. Les enfants font un tour de magie.

Vocabulaire. 1. a. le maître b. le canapé c. le tigre d. le vélo. 2. a. remplir b. réussir c. difficile d. entrée. 3. bras/veau : bravo 4. chat/pie/tôt : le chapiteau.

Compréhension. 1. c, b, a 2. a. vrai ; b. faux ; c. vrai. 3. a. Maxime et Clara font le tour du verre d'eau magique. b. Ils ont raté la première fois, car ils n'avaient pas bien collé la carte sur le verre.

IMPRIM'VERT®

Imprimé en Espagne par Agpograf
Dépôt légal : juin 2014
N° d'édition : 70118333-01